Patrick Chamoiseau

Le papillon et la lumière

Illustrations de Ianna Andreadis

Gallimard

L'éditeur remercie Christian Séranot-Sauron d'avoir contribué à la publication de cet ouvrage.

À Noémie, juste arrivée

Même pour un simple envol de papillon,
tout le ciel est nécessaire.

PAUL CLAUDEL

1

Chaque nuit, dans les villes, sur les routes, ensorcelés par les lumières artificielles, des millions d'insectes s'écrasent contre les ampoules brûlantes.

Parmi eux, les papillons de nuit.

2

C'est une soirée très ordinaire, dans un coin de la ville. La nuit est montée de la terre, a effacé le ciel. Maintenant, elle retombe sur chacune des ruelles et des rues qu'elle épouse, qu'elle étreint, qu'elle révèle d'une manière étrange. La ville de jour s'en est allée, une autre ville est là : lueurs des phares automobiles, reflets de pare-brise et de vitres, néons frénétiques et enseignes lumineuses, éclats de vernis, de peintures et d'aluminium jeune... Mille brillances solitaires se reflètent dans les flaques et les graisses...

La nuit est montée de la terre...

La ville de jour n'aime pas la ville de nuit. Partout, dans les rues, les ruelles, et dans les quatre-croisées, la ville de jour lui a laissé cette bourrelle des noirceurs qu'est la lumière publique. Lampes, guirlandes, projecteurs et sunlights, spots de

14

sécurité, lasers de boîtes de nuit et grands faisceaux pour patrimoines, combattent pied à pied contre des peuples d'ombres. Dans l'épaisseur même de la matière du noir la bataille est totale et elle est sans pitié.

Les restes de jour s'en vont au ralenti, des silences viennent, des solitudes fleurissent, des déserts volatils se répandent… Une absence générale s'impose au regard ordinaire, et elle persiste dessous cette marée de machins invisibles que la nuit fait sortir ou qu'elle invente sans fin…

À chaque rencontre d'un atome de clarté et d'une maille d'ombre, il y a de l'invisible, du pas vraiment visible, et *ce pas-vu-visible* que l'on voit sans rien voir… Partout, règne ce jeu welto créole du vu très brusque et du pas-vu soudain, *ou wèy, ou té wèy, ou pa wèy…*

Dans les mouvances de l'ombre, une vie fiévreuse s'affole et se maintient intense, et puis explose en toutes sortes d'insectes et grandes volées de papillons sans couleurs apparentes.

3

Et donc, les papillons de nuit sont là.

Ils tourbillonnent autour des lampadaires ; comme la lune est absente, les ampoules électriques s'emparent de l'idée de lumière : ces choses apparaissent alors mille fois plus fascinantes. Les papillons s'en exaltent, s'en approchent et en reviennent parfois.

Le plus souvent, ils s'y brûlent les ailes.

L'hécatombe est massive. Livrées à la voracité des insectes charognards et des fourmis de lune, des centaines de dépouilles gisent au pied des pylônes. Chaque rondelle de cette clarté sans âme témoigne d'un massacre.

Les survivants tourbillonnent encore autour des lampadaires, mais ils ont les ailes plus ou moins estropiées. Rares sont ceux qui n'arborent pas quelque chose d'abîmé affectant leur allure. Pourtant, on les regarde, on les admire, on salue leur envol claudicant dans la substance de l'ombre. Pour les papillons de nuit, l'aile délabrée est sans doute l'emblème du courage : le signe d'un début d'expérience du grand secret de la lumière.

4

Cette nuit-là (qui ne sera pas comme les autres puisque je vais vous l'inventer), un jeune papillon, aux ailes fringantes, s'élance comme tous les autres contre les lampadaires. Il est fougueux mais pas fouben. Il tournoie dans les halos de clartés, et fonce soudain dans les éblouissements. Seulement, plutôt que de heurter cette féerie brûlante, il opère chaque fois un prompt demi-tour.

Un je-ne-sais-quoi le dissuade d'achever son élan.

Ceux qui survivent au contact de l'ampoule et qui s'en reviennent avec les ailes roussies, se moquent de lui et le mettent à la fête. Très fiers de leurs bobos, ces initiés-blessés l'accusent de lâcheté et surtout d'ignorance. Tous n'en finissent pas de célébrer ceux qui ont su plonger dans le secret de la lumière et qui gisent en grande masse au pied des lampadaires. Ce sont les héros de la nuit et des exemples de vie.

Ils ont osé leur vie.
Ils sont allés direct aux extrêmes de la nuit et de la vive lumière.

De tout cela, le jeune pas fouben n'en a cure. Il s'éloigne de la ville et s'enivre des ombres, il tourbillonne dans les parfums des fleurs qui languissent vers la lune, il s'amuse aux reflets des rosées qu'imagine le retour des fraîcheurs. Il se perd dans l'obscur et goûte aux sensations de tomber en abîme. Il va. Il va vite. Il va fou. Il va sans y penser. Il va, là où la nuit souffre de luminescences : aux abords des villas, près des hublots de garage, dedans d'étranges jardins hantés par des balises solaires qui ressemblent à des spectres. Puis, comme pour mieux respirer, il se jette dans ces tunnels devenus rares où la nuit préservée devient une matière qui ne connaît rien d'autre. Là, il éprouve le sentiment d'une pure jouvence, d'une pureté totale qu'aucune graisse lumineuse ne vient dénaturer...

Mais toujours, il revient vers la ville nocturne, car la ville est partout, la ville fait océan. Il remonte d'abord les ruelles dépourvues des clartés, s'attarde dans les noirceurs plastifiées des vieilles automobiles, la poussière mécanique des entrepôts fermés, ou dans ces bouts de nuit que conservent les portes entrebâillées ou les fenêtres disjointes… mais son ivresse se voit toujours happée par des halos très vifs : des forces vitreuses qui décomposent les ombres et aspirent sans suspendre de grands quartiers de nuit. Il s'élance malgré lui, s'élance sans comprendre, s'enivre du bond vers la lumière brutale, mais, alerté par on ne sait trop quoi, il amorce toujours son très habile virage juste avant d'effleurer la vitre redoutable.

5

massacre

La nuit avance ainsi, dans l'hécatombe des héroïsmes et le hasard des survivances. Le jeune papillon survole tout cela, voit tout cela, tente de s'en éloigner par des cascades d'ombres fraîches entre des façades étroites que les clartés et les commerces oublient. Dans ces endroits devenus rares, il éprouve un sentiment d'éternité, comme si le temps ne déboulait qu'aux endroits où l'obscur et le clair confrontent l'indécidable. L'éternité est effrayante quand on est jeune, alors il se retrouve à dériver là où les choses vont vite ; là où la vie et la mort se disjoignent pour à nouveau se rencontrer ; là où les papillons pas très chargés en âges ou en cycles de lune tentent d'exalter leur vie en la vivant à mort.

abandon

Soudain, le jeune fringant délaisse la sarabande des comparses de son âge pour se poser auprès d'un papillon mélancolique. Loin de toute agita-

mre

stale oil smell

tion, ce dernier végète sur un fil électrique, au-dessus d'un McDonald's, dans un remugle d'huile morte et de frites échaudées. Contrairement aux autres, le solitaire ne semble pas pressé de vivre à fond la nuit avant le retour désolant du soleil. Il semble vieux pas vaillant, attristé, immobile et absent. Pourtant, quelque chose a aimanté le jeune fringant vers lui : c'est le premier mystère de cette drôle d'histoire.

*

— Tu m'as appelé ? lui demande le jeune papillon.

— Je n'ai appelé personne, lui rétorque le vieux mélancolique.

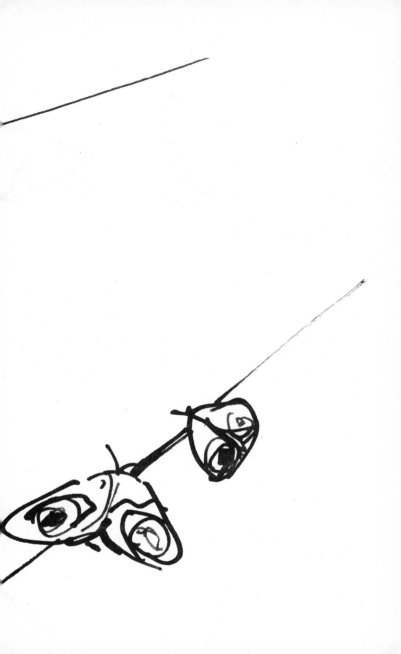

— Pourtant, j'ai cru avoir entendu quelque chose...

— Erreur, papillon.

Le jeune éprouve le sentiment que l'on se moque de lui.

— Étrange, quand même, insiste-t-il.

— Pas vraiment, répond l'Ancien. Je ne t'ai pas appelé, pourtant tu es venu. Tu crois ne pas m'avoir cherché, pourtant tu m'as trouvé.

— Et alors ?

— C'est un signe.

— Signe de quoi ?

— De rien. Tu m'as trouvé.

— Vous avoir trouvé signifie quelque chose ?

— Si tu m'as trouvé, c'est que tu me cherchais.

— Je n'ai pas souvenir d'avoir cherché quiconque !... *anyone*

— Et pourtant, papillon !... Si tu ne m'avais pas cherché, tu ne m'aurais pas trouvé.

6

L'enseigne du McDonald's est abîmée, elle lâche des étincelles, son chatoiement est incertain et terne. Elle finit par s'éteindre, ce qui avive tout un balan de nuit que le vieux mélancolique accueille avec plaisir dans un simple frisson. Il semble aimer les odeurs de Ketchup et de milkshake glacé qui traversent le toit et courent au long des tôles pour se joindre aux effluves d'essence et de tabac.

Le jeune papillon réfléchit un instant. Chaque mot du vieux mélancolique ouvre à son entendement de petits horizons aussi troublants que des trouées de nuit. Sa curiosité s'est soudain aiguisée : elle le retient sur place, immobile, et l'oblige à s'enquérir auprès du vénérable :

— Vous n'aviez pas l'air surpris de me voir... je n'ose même pas penser que vous m'attendiez... ?

— Moi ? Je n'attends rien ni personne. C'est pourquoi je ne suis jamais surpris de ce qui arrive.

— Ah ! Si je vous entends bien, pour être surpris par quelque chose, il faut s'attendre à quelque chose ?

— Je le pense, oui.

— J'ai du mal à suivre cette logique.

Le jeune se sent un frémi dans les ailes. Il aurait aimé pouvoir s'envoler de l'enseigne pour se revigorer dans une source de nuit. Mais quelque chose le retient. Il s'attarde, il attend, sans trop savoir ce qu'il peut bien attendre. Le vieux mélancolique reste absorbé à l'écoute des fritures de l'enseigne. Au bout d'un grain d'éternité, il bouge l'aile gauche, change quelque peu sa pose, et se penche tout soudain vers le jeune comme s'il venait de se souvenir de lui.

— Quelque chose te tracasse, papillon ?

— Je ne comprends pas ce que vous dites.

— Attendre quelque chose, s'attendre à quelque chose, soupire le vieux, n'est-ce pas fermer la porte à tout ce que l'on n'attend pas : à tous les autres possibles ?

— J'entends la question. Et alors ?

— Celui qui n'attend rien est dans une position particulière...

— Laquelle ?

— Il ne s'attend à rien, ne ferme la porte à rien et n'est surpris par rien.

— C'est vrai, concède le jeune.

— Il n'y a rien de vrai ! grimace le vénérable.

Le jeune est embarrassé.

Le tranchant de l'objection l'étonne.

Il ne lui semble pourtant pas avoir proféré une quelconque énormité.

De travers, il zyeute le vieux mélancolique pour déceler une moquerie ou un brin d'ironie. Mais le vieux est plein d'ombre et demeure empesé par une sorte d'absence. Le jeune hésite, bouge les ailes, les ouvre, les ferme, puis murmure lentement : *Ce que vous venez d'énoncer là n'est pas une vérité ?*

— Non. C'est juste une trace…

— Une trace !

— Une trace de fortune pour traverser l'abîme.

Le jeune a du mal à croire ce qu'il entend.

— Quel abîme ?

— L'abîme qu'engendre l'absence d'une quelconque vérité.

Une sirène de police arrache le jeune à sa lourde réflexion. Partout dans la ville, la nuit semble redoubler d'effort, à moins que ce ne soient les lampadaires qui renforcent leurs pires éclats bleutés. Le jeune cherche ses mots, les aligne, les enfile, les contrôle une dernière fois et les ose enfin :

— S'il n'y a pas de « Vérité », il y a quand même « des » vérités !

— Disons : des croyances, répond le vieux dans une sorte de sourire. Les croyances sont des petites traces de fortune qui permettent de conjurer l'abîme et de se donner l'impression d'avancer...

Des voltes de nuit se nouent et se dénouent, avant de se précipiter sur les brillances qui font trembler la ville. Maintenant, c'est une ambulance qui gémit et qui semble foncer dans six-quatre directions à la fois. Le jeune fringant resserre les ailes et tente d'oublier l'odeur des hamburgers dans de la mayonnaise.

— Vous êtes bizarre, vous !

— C'est toi le bizarre, papillon ! Tu me cherches sans savoir que tu me cherches, et tu me trouves sans savoir pourquoi tu m'as trouvé !

— Dites aussi que je suis fou ! grince le jeune très vexé.

— Tu n'es pas fou, mais tu ne sais rien de ce qui se passe en toi. J'en déduis que tu ne sais rien de toi-même. Dans ce cas-là, il vaut mieux être fou...

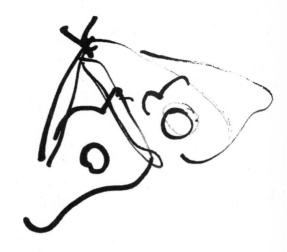

7

Le jeune s'abîme encore dans des cogitations. Il aurait aimé pouvoir s'envoler dans des marais de nuit, et même se livrer à quelques vieilles folies autour des lampadaires. Il sent ses ailes frémir, et s'essaye à partir, mais rien ne se passe, il ne bouge pas, n'a pas bougé, et se découvre encore en train d'attendre. Un souffle fait circuler un tiède parfum de citronnelle qui se glisse entre les luminescences grasses et les goudrons de clartés. La ville de nuit est tellement encombrée de matières lumineuses que le jeune la perçoit comme une fleur indéchiffrable.

D'une voix moins assurée, il s'enquiert auprès du vénérable :

— Je suis donc censé savoir pourquoi je vous ai trouvé ?

— Exact.

— Et pourtant, je l'ignore…

— Si tu l'ignores, c'est que tu ne m'as pas encore trouvé.

— Nous sommes face à face pourtant ! Je vous vois, vous me voyez !

Le vénérable regarde autour de lui en faisant la grimace.

— Moi, je suis là, papillon, mais toi tu n'es nulle part.

— Comment cela ? !

— Tu ne sais toujours pas pourquoi tu m'as trouvé ?

— Non.

— Donc, tu n'es pas là.

★

Le jeune fringant demeure de nouveau silencieux en observant l'étrange vieux papillon comme s'il avait du mal à en croire ses outils d'entendement.

8

Ne sachant plus quoi dire, il décide de reprendre son envol pour profiter de sa nuit. Il découvre soudain que le vieux a des ailes magnifiques. Intactes, immenses, elles frémissent de part et d'autre de son corps immobile. Contrairement à ceux de sa génération, le vieux ne s'est nullement abîmé les ailes contre une de ces éblouissances qui combattent la nuit. L'âge d'un papillon se signale d'habitude par le degré de délabrement de ses ailes. Or le vénérable est âgé et ses ailes sont jeunes. Le jeune papillon trouve à s'émerveiller. Il le couvre d'un grand lot de bravos pour sa longévité. Il le félicite surtout de l'intégrité fabuleuse de ses ailes. Le vénérable accepte ces louanges sans pièce démonstration de plaisir, d'intérêt ou d'ennui.

★

Le jeune fringant a oublié de partir. Il volette autour de l'enseigne McDonald's, et se pose finalement au plus près du vieux mélancolique. Après un nouveau temps d'observation béate, il s'étonne de le voir aussi triste.

Il lui dit alors :

— Papa...

— Plaît-il ?...

— Pourquoi ne pas être heureux ? Ta fin est proche, tes ailes sont belles, ta vie a été longue et sans doute très fournie... C'est le moment d'être heureux...

— Qui te dit que ma fin est proche, papillon ?...

— Oala... à ton âge...

— Regarde au pied des lampadaires...

— Je vois...

— Y a-t-il beaucoup de vieux dans tous ces corps carbonisés ?...

— Hmmmm... Non.

— Donc, mourir n'est pas une affaire de vieillesse.

— Je te l'accorde.

— De ce fait, papillon, tu peux tout à fait mourir avant moi.

— Possible.

— Et comme nul n'en sait rien, ta fin est tout aussi probable et tout aussi proche que la mienne.

— Possible.

— Donc, c'est tout le monde qui doit se dépêcher d'être heureux. C'est le moment de l'être à tout instant pour tout le monde, soupire l'Ancien.

Un clair silence s'installe.

9

Un rat dévale les tôles et se plonge dans un trou de gouttière. Un chat surgit, dérape sur la faîtière, et se raccroche à coups de griffes aux haillons d'un cimetière de cerfs-volants qui pendouillent le long de la façade, jusqu'au trou d'une fenêtre où il prend disparaître.

Le vieux mélancolique s'est dégagé d'un coup.

Le jeune éprouve le sentiment que ce dernier s'est dissipé dans une sorte de magie. Flap. Invisible. Il le cherche en vain. Il finit par se dire que le mélancolique n'était autre qu'une espèce de zombi.

Il finit par le découvrir, un peu plus loin, tranquille, posé sur une antenne de télévision tiquetée de rouille et d'escarbilles nerveuses venues des champs de cannes. Le jeune note qu'il a bien choisi son endroit : une sorte de croisement invisible, où les clartés sont moins fortes que les ombres. Le jeune fringant emprunte un petit souffle de nuit pour contourner sans trop d'effort un pignon de tôles pâles, et rejoindre l'antenne où il s'invente une place. L'endroit est agréable. Les toits de tôles enchâssés par en dessous sont imprégnés de nuit. Le ciel se dégage dans une splendeur obscure où les poinçons d'étoiles semblent veiller au repos d'une matière obscure.

Au bout de trois silences, le jeune revient doucement à la charge de son vieux compagnon :

— Quoi qu'il en soit, papa, tu devrais être content de t'en aller tantôt avec des ailes intactes !

— Pourquoi, papillon ?

— Rares sont ceux qui à ton âge peuvent se vanter d'avoir su préserver un tel trésor...

— Quel trésor ?

— Tes ailes... toutes magnifiques... !

— Ah... oui, c'est vrai, soupire encore le vénérable, mais hélas...

Un frisson fait miroiter ses ailes avant qu'il ne s'assombrisse dans le silence et la mélancolie.

★

Le jeune fringant s'efforce de respecter une si profonde tristesse.

Mais la curiosité est la plus forte. Il ne peut s'empêcher de s'indigner :

— Hélas ? Pourquoi dire « hélas » quand on a conservé toutes ses ailes ?

— Pour une raison très simple, mon fi...

Il se tait, toujours soucieux, abîmé dans des chimères sans fond.

— Mais laquelle ? s'impatiente le fringant.

— J'aurai gardé mes ailes mais je n'aurai pas connu la lumière.

Le jeune papillon en demeure tout saisi de surprise. Malgré lui, son regard s'emporte dans les halos multiples qui combattent la nuit. De lieu en lieu, des spectres bleutés semblent annuler le monde et aspirer sans fin de longues goulées de nuit.

10

Le jeune papillon demeure comme interdit durant une bonne grappe de moments. Enfin, n'y tenant plus, il finit par demander au vieil affligé :

— Papa… pourquoi regretter la lumière quand on a su conserver des ailes aussi somptueuses ?

— Parce que, mon fi, il m'a fallu choisir entre mes ailes et la lumière.

*

Le jeune fringant réfléchit encore, en louchant sur l'ancêtre immobile, puis il gémit :

— Mais, papa, pourquoi avez-vous dû choisir entre garder vos ailes et connaître la lumière ?

— Comment aurais-je pu avoir les deux ? interroge l'Ancien.

— …

— Ceux qui ont approché la lumière n'ont-ils pas les ailes abîmées ?

— Oui.

— Et ceux qui l'ont connue n'ont-ils pas été carbonisés ?

— Oui.

— Donc, jamais de demi-mesure. Il faut choisir... Choisir, c'est le problème.

— Pourquoi ?

— Parce que choisir, c'est renoncer à tous les autres possibles.

— On peut ne pas choisir...

— Exact, mais alors on renonce à la totalité des possibles : on tombe loin de la vie.

★

Le jeune fringant est soudain pris d'une belle exaltation :

— Tu as bien fait, papa !

— Hum... Je ne sais pas si j'ai bien fait, grommelle l'Ancien.

Le jeune fringant l'écoute à peine. Il est illuminé d'une sorte de clairvoyance qui anime ses écailles. Il virevolte alentour de l'antenne et s'enivre de son vol débraillé.

— Moi, je préfère garder mes ailes tout au long de ma vie !

— C'est un choix. Et donc un renoncement.

— Personne ne me verra jamais autour de ces lumières !...

— Oui, mais tu ne seras toute ta vie qu'un kokofiolo…

— C'est être kokofiolo que de vouloir garder ses ailes intactes ! ?

— Hélas, oui ! Mais c'est à toi de voir…

— Tu es donc toi aussi un kokofiolo ! ?

— Non, parce que moi, papillon, je sais que j'ai sans doute eu tort de les garder intactes, soupire le vénérable. Toi, en revanche, tu penses avoir raison. Et quand on pense avoir raison, on est très proche de la bêtise.

— Comment peut-on avoir tort de vouloir conserver ses ailes ? Pourquoi penser comme cela ?

— Parce, soupire encore l'ancêtre, les ailes ne sont qu'un moyen, alors que la lumière se trouve bien au-delà…

— Et c'est quoi, la lumière ?

— *Une connaissance*, gémit l'Ancien.

★

Puis, il ajoute : *On ne vit pas avec des moyens, mon fi. On vit avec des expériences et de hautes connaissances.*

11

Le jeune papillon reste tourmenté encore quelques instants. Dans une sorte de fièvre, il finit par débiter tout un flot de questions qui lui tordaient la trompe :

— Alors pourquoi ne pas la connaître maintenant ?

— Connaître quoi ?

— Pourquoi ne pas te jeter maintenant vers une de ces lumières ? Je n'y suis encore jamais allé à fond mais, si tu en as peur, je viendrai avec toi !...

— Ah, la peur !..., frissonne le vénérable.

— Quoi, la peur ?

— N'as-tu jamais eu peur ?

— Non, pas vraiment, dit le fringant.

— Dommage pour toi...

— Pourquoi ?

— La peur est le début du courage. Pas de peur, jamais de courage. Pas de courage, pas de vie.

★

Le jeune fringant accuse le coup, puis revient à la charge :

— Tu as donc peur de te jeter dans la lumière, papa ?

— Bien sûr, mais ce n'est pas cela qui m'empêche de m'y rendre, soupire le vieux papillon.

— Qu'est-ce qui t'en empêche ?

— Me jeter dans la lumière serait bien regrettable...

— Pourquoi ? s'étrangle le fringant. Tu la connaîtras enfin !... Tu n'auras plus tous ces maux et regrets !...

— Pour vraiment connaître la lumière, il faut y aller à fond, y aller totalement, risquer pas seulement ses ailes, mais son corps tout entier...

— Et alors ? L'important n'est-il pas de connaître la lumière ? !

— Oui. Mais alors *je ne connaîtrai pas la vieillesse,* soupire encore le vénérable.

12

Le jeune papillon demeure embarrassé jusqu'au lever désolant du soleil. Puis il disparaît là où disparaissent les papillons de nuit, jeunes et vieux, fouben et pas fouben. Il faut le supposer à l'abri de la terrible clarté, ni engourdi ni endormi, mais pensif et pas mal tourmenté par la rencontre qu'il vient de faire...

13

La nuit suivante, tandis que l'hécatombe fait rage autour des lampadaires, il se lance illico sur les traces de l'Ancien. Il le découvre à l'arrière d'un feu de circulation qui régente un carrefour déserté. Le feu balance pour rien ses rouges, ses jaunes, ses verts, qui chaque fois bousculent les ombres environnantes. Sous leurs impacts, l'asphalte subit de brusques métamorphoses puis redevient inerte. Les reflets se répandent sur les vitres, les pare-brise des voitures endormies, et sur la peinture neuve d'une belle façade de pharmacie. Le vieux s'est posé juste à l'arrière du feu, au point exact où chaque clignotement augmente l'épaisseur d'une tache d'ombre. Un lieu très confortable. Le jeune fringant admire ce savoir-faire pour bien vivre la ville, mais il n'a pas le temps de s'en émerveiller. Alourdi de questions, il se pose auprès du vénérable et l'entreprend sans plus attendre, et en le vouvoyant sans trop savoir pourquoi :

— J'ai bien compris ce que vous m'avez con-
fié, mais...

— Comprendre n'existe pas.

— Que veux-tu dire ?

— Dans comprendre il y a « prendre », papillon...

— Et alors ?

— Dans les choses de la vie on ne peut rien
vraiment « prendre ». Tout passe, tout fuit, tout
change et ne revient jamais. Si tu « prends », tu
ne gardes que le vide.

— D'accord, grand sage.

— Personne n'est vraiment sage.

— Qu'est-ce que vous êtes alors ?

— Une vie qui se débat dans cette affaire du
vivre.

— Bon, bon bon..., grince le jeune agacé.
Dites-moi plutôt : quel est l'intérêt de connaître
la vieillesse ?

— Tu as de bonnes questions, lui dit l'Ancien.

— Tant mieux !

— C'est bien d'avoir de bonnes questions.

— C'est encore mieux d'avoir de bonnes ré-
ponses.

— La question est une pleine lune, la réponse
est toujours un soleil aveuglant.

— Les nuits de pleine lune ont besoin des
soleils aveuglants, rétorque le fringant. Ne serait-
ce que pour être plus belles.

★

Touché, le vénérable lui sourit, puis il s'immobilise dans un très long silence.

— Pas de réponse ? s'inquiète le jeune fringant.

— Pourquoi un tel silence, papa ?

— Pour mieux te permettre d'entendre ce que je vais te dire. Le silence est le cœur de l'écoute et l'énergie de l'attention.

— Bon. Je vous écoute.

★

Après encore quelques nouveaux instants de silence, le vénérable lui répond enfin :

— Certains disent que la vieillesse est un naufrage.

— Ce n'est pas faux.

— D'autres affirment que c'est le seul naufrage qui te permette de continuer à naviguer...

Le jeune s'esclaffe de la bonne blague. Le vénérable s'en amuse silencieusement, et dit encore : Mais ces gens-là se trompent !

— Qu'est-ce que la vieillesse alors ?

— La vieillesse est le lieu de l'ultime connaissance.

— Mais encore ?

— C'est elle qui permet de donner du sens à ce que l'on a réussi, mais aussi et surtout à tout ce que l'on a raté, tout ce que l'on a jusqu'alors été incapable d'oser, de tenter ou bien d'imaginer. C'est donc le seul moyen de vivre non pas longtemps mais... complètement.

— ......, dit l'impétueux fringant qui ne sait plus quoi dire.

14

Le jeune papillon reste perturbé durant quelques semaines et revient à son vieux tourmenteur lors d'une nuit de pleine lune. Il recherche l'Ancien durant une bonne part de la nuit et finit par le retrouver sur la pointe d'un panneau publicitaire pour des piles alcalines inusables. Un chat noir s'est campé tout au pied du panneau, et il surveille l'Ancien. Les chats sont toujours excités par le vol mystérieux des papillons de nuit : ce sont pour eux de drôles d'oiseaux. De plus, celui-là, un maigre chat de parking, semble bien connaître l'Ancien, et le chasser en vain depuis ces temps lointains où le diable était jeune. Le jeune fringant descend vers lui, et s'amuse durant quelques instants à lui taquiner les babines, et à déjouer la foudre terrifiante de ses griffes ; puis, après l'avoir bien fatigué, il s'en vient prendre la pose auprès du vénérable. De nouveaux lampadaires ont été ajoutés autour de l'arc d'une rocade, ils font bleuir les ombres tapies sous les piliers, et ils massacrent à grands rayons une myriade d'insectes qui jusque-là n'avaient connu que la pureté obscure.

★

Le jeune, plein d'entrain, rayonnant d'une confiance retrouvée, annonce gaillardement :

— J'ai décidé de vivre sans cirque, ni saut, sans aile brûlée, et sans ces tracas de lumière !

— Et que te restera-t-il ? demande doucement l'Ancien.

— Ma vieillesse. Je vais tranquillement attendre ma vieillesse.

— Tcha ! Quelle horreur ! s'écrie le vénérable.

— Pourquoooi ? s'étrangle le jeune fringant.

— Comment connaître vraiment la vieillesse si l'on n'a pas pleinement vécu ? !

★

Le jeune en est une fois encore désarçonné mais, après mûre réflexion, il revient à la charge.

— Mais, papa, s'inquiète-t-il, une nuit pleinement vécue est bien une nuit où l'on a connu la lumière ?

— Si tu veux.

— Mais connaître pleinement la lumière ouvre bien à une mort certaine ?

— Apparemment.

— Ce qui revient à dire qu'une nuit pleinement vécue est une nuit qui supprime toute possibilité d'atteindre la vieillesse ?...

— Si tu le dis.

— Nous sommes donc condamnés à une vie réduite, et donc à une vieillesse sans intérêt.

— Erreur, papillon.

— Où est l'erreur ?

— Maintenant que tu sais que l'erreur est là, tu devrais la trouver.

15

Le jeune fringant réfléchit tout son soûl, sans même s'intéresser au chat maigre qui s'évertue à grimper au panneau métallique. Ses griffes ne trouvent aucune accroche et il retombe après chaque bond sur l'assise de ses pattes. Le jeune fringant se rapproche de l'Ancien et lui murmure avec un peu d'hésitation :

— L'erreur est peut-être dans la question de la lumière…

— Ah ?

— Si je m'en souviens bien, vous avez dit que la lumière est une connaissance.

— Possible.

— Peut-être alors que cette lumière qui tue autour de nous n'est pas vraiment une connaissance ?

— Possible aussi.

— Ou peut-être encore que ces choses qui rayonnent partout ne sont pas de vraies lumières ?

— Encore une autre possibilité.

— C'est sans doute la raison pour laquelle vous avez si bien conservé vos ailes.

— Ah ?

— Vous ne vous êtes pas intéressé à ces lumières !

— Erreur, papillon.

— Encore !

— Je m'y suis intéressé lors de la première nuit de mon tout premier vol. J'ai simplement eu la chance de ne pas me brûler la moindre écaille.

— Et après ?

— J'ai continué à m'y intéresser, mais en faisant très attention et en y réfléchissant bien. Donc tu vois : il faut s'intéresser à tout !

— Même aux choses fausses ?

— L'essentiel est de donner aux choses leur place exacte, leur mesure bonne et leur juste degré de réalité.

— Quoi qu'il en soit, ces lumières n'ont pas été dignes du sacrifice de vos ailes ou de votre vie ?

— Comment puis-je le savoir ? Je ne les ai pas connues !

— Tant mieux, non ?

— Ah non ! Tant pis plutôt...

— Je ne comprends pas...

— Pfff... Dans comprendre, il y a prendre...

— OK. Précisez, s'il vous plaît, ce que vous voulez dire...

— Ces lumières dont tu parles, ne bouleversent-elles pas profondément la nuit ?

— Ah ça, oui !

— Ne trucident-elles pas des millions et des millions de créatures ? Ne se trouvent-elles pas à l'origine de la disparition de tant de fleurs et tout autant de fruits ?

— Ce n'est rien de le dire !

— Alors comment un tel phénomène ne mériterait-il pas d'être connu ?

— Oui, je vous l'accorde, mais pas au point de perdre ou ses ailes ou sa vie !

— Comment le savoir, si on ne les connaît pas ?

★

Bouleversé, le jeune papillon disparaît de la frénésie nocturne durant tout un cycle de la lune. Il s'est trouvé un immense fromager où des diablesses suspendent leurs peaux, et les laissent à la garde d'un peuple de bêtes-à-feu. Leurs scintillements semblent faire partie d'une plénitude obscure. Le jeune fringant s'y sent quelque peu apaisé. Parfois, le fromager soupire. Le vent emporte ce chapelet de confidences vers les cimes des pitons. Il soupire. Il soupire. Mais on sent bien qu'il est solide, et qu'il mérite la confiance de la nuit tout entière et des millions de créatures visibles et invisibles qui peuplent sa puissance, depuis l'éternel frémissement de son énorme feuillage jusqu'aux plongées de ses racines tortueuses et immobiles.

16

Une nuit, l'Ancien se met à sa recherche et le trouve en train de voleter autour des lampadaires. Le jeune fringant exhorte les jeunes papillons à ne pas se brûler sur la lumière artificielle. *Il n'y a là aucune connaissance, la vraie connaissance est ailleurs !* hurle-t-il. *Vous pouvez vous y intéresser, mais ne vous tuez pas pour ça, et surtout conservez vos ailes… !*

★

Il prêche ainsi, inlassablement. Mais personne ne l'écoute. Une ivresse emporte les jeunes couvées de papillons. Les ailes s'abîment en masse. Les corps carbonisés s'entassent sur les trottoirs et le bitume des routes.

★

— Que fais-tu, mon fi ? s'inquiète le vénérable en voletant au-dessus de lui.

— J'essaie de les sauver.

— Les sauver de quoi ?

— De la fausse connaissance.

— Fausse ? Qu'en sais-tu ? Que peux-tu en savoir si tu ne l'as pas toi-même connue ?

— J'aimerais au moins leur offrir un choix !

— Choix de quoi ?

— Choix de se consumer d'un coup, ou choix de faire comme vous : vieillir avec des ailes !

— Quelle horreur !

— Que voulez-vous dire ?

— Je ne suis pas un exemple.

— Vous avez toutes vos ailes...

— Lors de notre première rencontre, tu m'as trouvé triste, immobile et visiblement pas heureux, à tes dires. C'est ça, l'exemple que tu veux leur offrir ?

— Heu...

— Et puis, de quel droit voudrais-tu décider de leur vie ?

— Heu...

— Et puis, quelle est cette prétention de vouloir sauver les autres, alors que rien n'indique que tu te sois déjà sauvé toi-même... ?

— Heu...

★

Le vieux papillon se détourne et s'en va.

Le jeune arrête son prêche et va se réfugier tête en bas sur une vitre du fast-food chinois où s'agitent des reflets de néons. Il se déplace pour éviter la griffe d'une petite fille aux dents gâtées qui veut le capturer. Puis il bouge encore pour déjouer l'assaut d'un mabouya. En finale, il ne se trouve un peu de tranquillité que sur la toile d'un drapeau poussiéreux qui rappelle la présence d'un pouvoir endormi.

17

Plus tard, dans la nuit, le jeune fringant très troublé, retrouve le vénérable, immobile sur un chariot de supermarché abandonné dans un coin de parking.

— Je vois que tu as encore tes ailes, soupire l'Ancien.

— Oui, répond le fringant d'un ton docte.

— Tu n'as donc toujours pas connu la lumière.

— Non.

— Et tu veux malgré tout conseiller les autres sur l'usage de leur vie ?

— Je reconnais que j'ai été présomptueux.

— Ah !

— Pourtant, j'ai du mal à m'y résigner !

— Te résigner à quoi ?

— À la passivité devant ces hécatombes !

— C'est vrai qu'elles sont insupportables !

— N'est-ce pas ! Alors pourquoi ne pas aider les autres ! ?

Le vénérable fait la grimace.

— Aider les autres, ce n'est pas bien ? insiste le jeune.

— Oui, mais pendant ce temps, qui t'aidera, toi ?

Le jeune a un mouvement de recul mais il s'efforce d'assombrir ses écailles.

— C'est le fait d'aider les autres qui m'aide ! s'insurge-t-il.

— Le fait d'aider les autres ne t'aide qu'à ne pas t'aider toi-même.

— N'exagérez pas !

— Si tu n'es pas capable de t'aider toi-même en face de ce problème, comment pourrais-tu avoir la prétention d'aider les autres ?

— Je peux au moins signaler un danger.

— Il te faudrait alors signaler la vie dans son ensemble !

★

Le jeune fringant accuse le coup, opère une petite virevolte au-dessus du parking, et revient se poser auprès du vénérable.

— Si je vous ai bien entendu, il faut d'abord m'aider moi-même avant d'aider les autres ?

Le vénérable fait encore la grimace.

— Et pendant ce « d'abord », tu laisses mourir les autres ? !

Le jeune fringant demeure désarçonné, puis il murmure :

— Il faut donc m'aider moi-même en aidant les autres ? C'est ça ?

— T'aider toi-même et aider les autres, c'est la même chose.

— Mais par où commencer ?

— Il n'y a pas de commencement dans ces choses-là. Ni milieu, ni fin, ni tête, ni pied, ni moitié, ni demi.

— Il y a quoi ?

— L'action juste.

— Et c'est quoi, l'action juste ?

— Celle qui n'a ni commencement, ni milieu, ni fin, ni tête, ni pied, ni moitié, ni demi.

— Comment la reconnaître ?

— On ne peut pas la reconnaître.

— Comment alors savoir si ce que l'on a fait est une action juste ?

— Quand on débouche sur une paix totale.

— Donc, quand on se retrouve sans inquiétude, sans souffrance, sans douleur, sans hésitation, sans envie, sans insatisfaction... ?

— Ah non ! Ça c'est l'enfer... !

— Alors la paix totale ce serait quoi ?

— C'est cet enfer plus tout le reste.

— Quel reste ?

— La haute conscience.

— Et c'est quoi, la haute conscience ?

— C'est la conscience qui tremble.

— Trembler, c'est pourtant un signe d'inquiétude...

— Possible, mais ce qui est mort ne tremble jamais.

— L'absence de tremblement serait donc le signe que l'on est mort ?

— Ou que l'on est idiot.

★

— Restons sur la conscience...

— Restons, consent le vénérable...

— La bonne conscience peut ne pas trembler !

— Justement. Bonne ou mauvaise conscience ne tremblent jamais.

— Elles sont donc mortes ?

— Probable.

— C'est étrange, non ?

— La bonne conscience est une chose morte car elle ne connaît pas la mauvaise conscience. Et vice versa.

— La haute conscience serait tout à la fois bonne et mauvaise conscience ?

— Possible.

— Et c'est pourquoi elle tremble ?

— Non. Elle tremble parce qu'elle est vivante. Elle tremble aussi parce qu'elle fixe ensemble, les relie, les rallie, tous les contraires, tous les impossibles et tous les impensables.

— Relier tout cela est quelque chose d'insoutenable !

— C'est pourtant là que commence l'affaire de vivre et de penser sa vie.

★

Tandis que le vénérable s'envole dans la nuit, le jeune fringant demeure encore un peu plus abattu et bien plus silencieux.

18

Au bout d'un long moment, l'Ancien est de retour et vient se poser près de lui. Ils se trouvent sur la porte vitrée d'une banque où se reflètent les gouttes d'une petite pluie. Deux bougres à bonnet et piercings tentent de forcer les résistances d'un distributeur de billets. L'un d'eux zyeute de travers les deux papillons sombres, comme s'il devinait en eux une vieille sorte de présage ; mais l'autre ne s'en soucie même pas.

— À te voir aussi immobile et silencieux, je suppose que tu attends ta vieillesse, soupire ironiquement le vénérable.

— Non, répond le jeune. Je suis en train de vivre.

— Pardon ?

— J'ai décidé de vivre.

— Comment cela ?

— J'ai compris ce que vous avez voulu m'enseigner.

— Moi ? Je n'enseigne rien à personne !...

— ...

— Je suis déjà bien en peine avec ce que j'ai à débrouiller...

— Oui, mais vous avez vécu longtemps et vous détenez une grande sagesse : c'est comme si votre vie elle-même était une leçon !

— Une vie ne peut pas être une leçon ! grimace le vénérable.

— Elle peut être un exemple !...

— Encore moins un exemple !

— Ah non ! s'indigne le jeune fringant en trépignant des pattes et en battant très furieusement des ailes.

— Qu'est-ce qui t'irrite, mon fi ?

— La vie d'un être magnifique, étonnant, exemplaire, ne peut pas être une leçon ?

— Non.

— Elle serait quoi ?

— Une beauté.

★

Tandis que le jeune le regarde avec les mille facettes d'une même surprise, le vénérable poursuit : La beauté ne demande pas qu'on l'apprenne, qu'on la récite ou qu'on l'applique. Elle bouleverse, éveille réveille. *Elle inspire.*

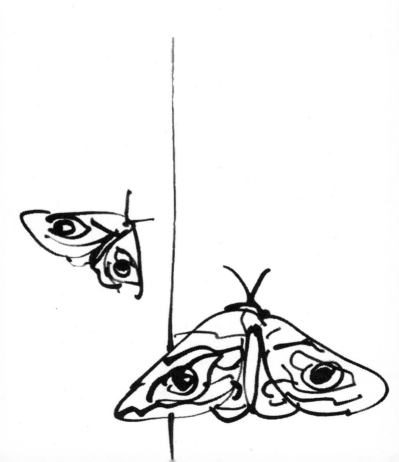

19

Le jeune disparaît durant un nouveau cycle de lune, puis finit par revenir vers son persécuteur.

— J'ai réfléchi.
— Ce n'est pas bon de trop réfléchir.
— ... ?
— La vie est courte, il faut penser à vivre.
— Disons que j'ai vécu intensément dans ma tête...
— C'est bien, mais vaut mieux vivre dans la vie.
— Vous allez me tuer !
— Je veux que tu vives.
— Vous avez raison. Mais écoutez ce que j'ai à vous dire.
— Je n'ai jamais cessé de t'écouter.

★

Le jeune demeure un instant silencieux, le temps de bien choisir ses mots, puis il se lance :

— Disons que j'ai vu la beauté de votre vie.

— Ah.

— Disons que cette beauté m'a alerté sur ces lumières qui font tant de dégâts.

— Ah.

— Je me suis dit que je suis un papillon de nuit.

— On n'est jamais sûr de ce que l'on est.

— Admettons... en tout cas, papillon de nuit, je vis dans l'obscurité, je crains la lumière du soleil. Durant les nuits de pleine lune, je cherche le plus obscur, et quand la lune est noire je vis en plénitude.

— Il n'y a jamais de plénitude.

— Admettons... seulement la moindre lumière un peu vive bouleverse et fascine mes sens qui ne sont pas faits pour cela.

— Exact. La moindre lumière vive est pour nous un haut degré d'impossible, d'impensable, d'inatteignable.

— Donc, la moindre lumière vive est pour nous une « connaissance ».

— Cool, papillon.

— Mais ces lumières nous déciment tellement que l'on peut supposer qu'elles ne sont pas « la » connaissance.

— Petite trace... Petit pont sur l'abîme...

— Traversons.

— Traversons, si tu veux...

— Dès lors, après avoir réflé... heu... après avoir vécu dans ma tête, je me suis mis à voler franchement dans la plus totale obscurité...

— Ah.

— J'ai volé longtemps : *dans* l'obscurité et *vers* l'obscurité.

— Cool. C'est normal pour un papillon de nuit.

— À force de voler dans l'obscurité, j'ai décelé une lumière...

— Pardon ?

— Oui, une petite lumière ! Depuis, je vole vers elle, je m'y plonge et je tente de la vivre intensément.

— Mais quelle lumière ? feint de s'étonner le vénérable.

— Celle qui est en moi.

Le vénérable déroule sa trompe et la ramène, comme s'il venait de goûter à un petit nectar.

— Cool, dit-il enfin.

Le jeune triomphe en frétillant des ailes.

— Je vole sans fin vers elle, la cherche sans fin, et je la trouve tout le temps !

— Dommage, dommage, dommage..., soupire alors l'Ancien.

— Hein ? Quoi ?

— C'est pas cool.

— Comment, c'est pas cool ? C'est ce que je m'apprêtais à enseigner aux autres !

— Heureusement qu'ils ne t'ont pas encore entendu ! répond le vieux.

Puis il s'envole vers un grand flamboyant noirci par les gaz d'échappement, et qui décore de sa tristesse un sinistre rond-point.

20

Le jeune papillon se met à réfléchir en essayant de conserver une contenance. Enfin, n'y tenant plus, il s'élance comme un fou sur les traces de l'Ancien. Il l'aperçoit en train de tourbillonner au-dessus d'un fourgon à pizzas, dans des relents d'huile saturée et de merguez rassises. Il le rattrape alors qu'il se pose sur l'antenne d'une voiture encore tiède, toute luisante des reflets de la lune.

★

— Pourquoi trouvez-vous cela « dommage » ?
— Quoi ?
— La petite lumière…
— Ah !
— La plus juste des lumières n'est-ce pas celle qui est en soi ?
— Possible.

— La lumière qui est en soi n'est-elle pas une vraie connaissance ?

— Possible aussi.

— Être un papillon de nuit, n'est-ce pas être le désirant d'une lumière intérieure ?

— Sirop d'oranger ! approuve l'ancêtre.

— Trouver cette lumière n'est-il pas le plus haut degré d'existence d'un papillon de nuit ?

— Nectar de campêche !

— Et alors ? Où est le hic ?

— Le problème n'est pas la lumière intérieure...

— Quel est-il alors ?

— Le hic, c'est que tu la cherches.

— Hein ? Il ne faut pas la chercher ?

— Lorsqu'on cherche, on ne trouve que ce que l'on cherche. Et c'est souvent pas grand-chose...

— Pourquoi n'est-ce pas grand-chose que de trouver ce que l'on cherche ?

— On n'atteint alors à aucune connaissance.

— Heu... Précisez ce que vous voulez dire...

— Préciser, c'est toujours fatiguer ce que l'on a voulu dire.

★

Le vénérable soupire, quitte l'antenne de la voiture et va se poser sur une plante minuscule, couverte de poussière, qui végète au pied d'un panneau du rond-point. Le jeune l'y rejoint en veillant à ne pas s'empoussiérer les ailes et fixe son tourmenteur avec des yeux de luciole morte.

— Quand tu cherches, tu sais ce que tu cherches, sinon tu ne le chercherais pas ? lui demande l'Ancien qui finit par céder.

— Oui.

— Donc, ce que tu cherches tu le connais déjà, tu l'as déjà imaginé, et tu es déjà en train de l'espérer ?

— Oui, possible.

— Dès lors, tu tournes en rond en trouvant ce que tu espères. Il y a là peut-être une reconnaissance, mais en tout cas aucune vraie connaissance.

— Comment cela ?

— La connaissance survient d'abord dans ce que l'on est incapable d'imaginer, et qu'il nous a été impossible jusqu'alors d'espérer.

Le jeune reste muet de saisissement.

Il se rapproche du vénérable en le regardant d'un air effaré.

— Donc, vous, vous ne cherchez jamais…

— Moi, je ne cherche pas. Je ne trouve pas non plus. Je vais ainsi. Seul ce que tu ne cherches pas peut t'amener à la lumière qui est en toi…

Le jeune papillon s'en va, désespéré.

21

Il revient la nuit suivante, puis sans un mot se met à observer l'Ancien qui pour la première fois lui sourit dans un déroulé de trompe.

— Pourquoi souriez-vous ? s'inquiète le jeune fringant à la perspective de se retrouver une fois encore précipité dans un abîme.

— Je vois que tu as appris le silence. C'est sirop d'hibiscus !

— Mieux vaut être silencieux que questionner ? C'est cela que vous voulez me dire ?

— Aucune question n'a de l'intérêt si elle ne provient pas d'un abîme de silence.

★

Le jeune fringant manque de s'étrangler sous une montée de questions, mais il demeure silencieux en observant le vénérable.

— Vous souriez encore ?

— Oui, mon fi, parce que je vois que tu as appris à observer.

— Hum... et moi je vois ce que vous avez en tête...

— Tu vois quoi ?

— Aucune question n'a de l'intérêt si elle ne provient pas d'une longue observation... c'est cela ?

— Non.

— Alors que voulez-vous me dire ?

— Que l'observation est l'âme du silence.

22

Le jeune sourit à son tour, et demeure silencieux à observer l'Ancien. Quand celui-ci s'envole, il s'envole à sa suite, l'observe, reproduit ce qu'il fait.

★

Il voit que l'Ancien passe de longs moments à observer la lune, à se poser sur des insignifiances, à voler en silence, ou à se pétrifier dans de longues contemplations en face de choses invisibles. À aucun moment, il ne se laisse aimanter par les lumières artificielles, sauf peut-être pour jouer avec elles, surtout celles qui sont froides, jaunes, et qui se reflètent à l'infini dans les gouttes qui suintent des climatisations, ou sur les pluies qui s'étalent comme une huile sur l'asphalte et le marquage phosphorescent des rues.

★

Il voit que l'Ancien partage son temps entre les sous-bois, les parcs boisés, et le centre-ville où le tourbillon des lumières est le plus débridé. Il s'enivre alors des reflets sur les vitres, les voitures, les fenêtres, les poignées de portes, sur tout ce qui brille ou qui conserve une buée de chaleur : un souvenir d'ondée, la graisse d'une huile de moteur, un résidu de friture. Tout capte des éclats et renvoie des éclats.

★

Parfois, l'Ancien hante les gîtes où habitent les hommes, mais plutôt que de perdre la tête autour des lanternes brûlantes, il observe les habitants du lieu depuis le haut d'une cloison. Souvent, il se fait surprendre par l'irruption de l'aube. Il y reste jusqu'à la nuit suivante, et reprend alors sa minutieuse contemplation de tout ce qui peut être contemplé.

★

Souvent, l'Ancien s'élance vers la lune, d'une manière très vive, comme s'il avait décidé de s'y perdre. Le jeune, à sa suite, se sent alors envahi de lumière jusqu'à une ivresse trouble, qui le ramène dans des zones plus obscures, auréolées d'une aube qui semble naître de partout. L'Ancien vole dans la plus totale obscurité, dans ces zones que les hommes n'ont pas cherché à éclairer, et où subsiste ce que la nuit comporte de plus magique et de plus abondant. Le jeune sent combien cet obscur s'étend à l'infini sur une éblouissante et très obscure clarté. Là, tous les papillons, tous les insectes, ont leurs ailes intactes. Ils vivent une alternance d'éblouissements et d'obscurité pleine, à une telle cadence qu'ils sont ivres de plaisir. Tous ressentent un étrange bonheur qui les incite à s'accoupler, et qui au bout de la nuit les amène quelquefois à maudire le soleil.

*

Le jeune qui, depuis sa chrysalide, n'avait jamais vécu de nuits aussi riches en intensités justes, sort de là épuisé. Quand l'effrayant soleil se met à tout blanchir, il se retrouve en proie à la plus saine fatigue et au plus réparateur des beaux sommeils de papillons.

23

Une nuit, brisant son silence, le jeune s'émeut auprès du vénérable :

— On dirait qu'il y a de la lumière dans la nuit.

— Possible. L'ombre et la lumière sont une seule et même chose.

— On dirait aussi que, lorsqu'un soleil se lève, une nuit se lève aussi.

— Sirop de caïmites !

— Et quand il se couche, on dirait que c'est un autre soleil qui nous appelle à vivre, même dans les lunes les plus noires.

— Y a sans doute de ça.

— Comment transmettre cela à tous ceux qui s'abîment contre ces lampadaires ?

— Il n'y a rien à transmettre, tu n'as juste que le temps de vivre.

— C'est pas cool.

— Fais de ta vie une beauté, ceux qui pourront la voir en seront inspirés. Mais, hélas, bien peu d'existences sont capables de voir passer une beauté.

— Ceux-là sont abandonnés à leur sort ?

— Ils sont laissés à ces joliesses que fournissent leurs choix quotidiens et une élémentaire liberté qui va au jour le jour.

— Ils sont à plaindre ?

— Peut-être qu'ils sont à envier ! Les petites libertés sont des délices. Les joliesses sont agréables. Le beau est un bon compagnon. Mais les beautés sont des bêtes sauvages : elles peuvent te traumatiser.

— Le tout est de savoir ce qu'on peut supporter ?

— Le tout est de ne pas se mentir à soi-même. C'est le plus solide soubassement du courage.

— Si on n'en a pas les moyens, la force, la volonté, on peut donc renoncer aux fréquentations de la beauté.

— Oui, on peut y renoncer, à condition d'y parvenir avec... beauté !

24

À la fin d'une autre nuit, le jeune, épuisé par un périple époustouflant, demande au vénérable :

— Maître, avez-vous trouvé le bonheur ?

— J'en ai rencontré de petits bouts.

— Êtes-vous heureux ?

— Heureux de quoi ? Heureux pourquoi ?

— De vivre, de voler, d'avoir des ailes, de voir le soleil de la nuit, les fleurs, de contempler comme vous le faites ces petites choses qui ne sont rien en elles-mêmes mais qui procurent tant de bonheurs…

— Ce ne sont là que des moyens de vivre, mon fi. La vie est ailleurs.

— Elle est où ?

— Elle est en moi. Comme la plus belle des lumières. Et je vais bientôt partir en elle…

— Partir en elle ?

— Disparaître en elle, si tu préfères…

— Comment cela, disparaître en elle ?

— Mourir.

— Qu'est-ce que mourir peut bien avoir à faire avec la vie ?

— On vit aussi de la mort, mon fi. On meurt aussi de la vie.

— Le mieux serait d'être éternel !

— Éternel ? Tcha ! Quelle pauvreté !

— C'est mieux non, que de crever !

— Oui, mais on ne connaîtrait jamais la mort. Celui qui n'a pas encore connu la mort ne saurait prétendre avoir connu la vie.

★

Le jeune une fois encore se perd dans un sans-fond de réflexion. Puis il se rapproche du vénérable d'un seul mouvement de ses magnifiques ailes.

— Il faut donc mourir pour vraiment vivre ?

— Ça peut se dire.

— Mourir pour vraiment avoir vécu ?

— C'est en tout cas ce qu'offre la vieillesse. Jeunesse éternelle et vieillesse éternelle seraient comme ces plantes de parking qui ne fleurissent jamais.

— J'aime bien les plantes qui ne fleurissent pas ! proteste le jeune.

— Moi aussi, soupire le vénérable. Mais j'aime aussi les fleurs. Regarde toutes ces plantes. Les unes rêvent des fleurs dont elles sont incapables, et les autres s'interrogent sur ce beau mystère de ne jamais fleurir.

★

— J'ai entendu, s'exclame le jeune.

— Tu as entendu quoi ?

Il est soudain saisi d'une grande exaltation. Ses ailes frissonnent et son corps magnifique devient tout électrique sous le bourdonnement continu des écailles.

— J'ai entendu que rien n'est jamais parfait, que vivre n'est jamais une plénitude ! Que l'insatisfaction sera toujours là ! Que c'est elle qui fait le moteur de la vie ! Qu'elle est indépassable !

— On peut dire ça.

— Et c'est pourquoi je vous ai trouvé immobile et triste alors que vous vivez et savez tant de choses ! Il faut se résigner à cela !

— Résigner ? ! Ah non ! Il faut combattre et dépasser l'insatisfaction ! Jusqu'à la mort !

— Comment la combattre ? Comment la dépasser ?

— Comment, c'est la plus indécente des questions !

— Pourquoi la plus indécente ?

— Parce que c'est la seule question que l'on doit se poser à soi-même, et jamais aux autres.

L'impressionnant jeune papillon frissonne encore sous le filet de lune.

— Vous voulez dire que c'est à moi de trouver comment dépasser l'insatisfaction de vivre.

— Je veux dire que c'est à toi de vivre ta vie. Et c'est cela la vraie définition du courage : ne pas renoncer à vivre ce qu'on est de la manière la plus élevée, à être tout ce qu'on est de la manière la plus décente.

25

Les nuits se déroulent ainsi. Le magnifique papillon et l'Ancien sont désormais inséparables. Ils sont le plus souvent silencieux, volent côte à côte, restent immobiles ensemble tandis que la nuit déploie ses féeries. Leurs conversations sont le plus souvent très brèves, toujours rares, ils se comprennent à demi-mot.

*

Une nuit, aux dernières heures de pleine obscurité, le vénérable se tourne vers le jeune magnifique, et lui dit :

— Es-tu prêt ?

— Prêt pourquoi ?

— Pour la grande audace.

La jeune magnifique hésite un instant, puis sans trop savoir pourquoi, il acquiesce de la trompe.

Le vénérable s'élève alors et se met à voler

avec une majestueuse lenteur. *Ferme les yeux*, lui dit-il. Puis il poursuit son vol alors que la nuit se dissipe, que le ciel s'éclaircit, et que le terrible soleil commence à embraser toute chose.

La jeune magnifique sent alors sur chacune des écailles de son corps la plus totale, la plus envahissante, la plus brutale, la plus terrible et la plus absorbante des lumières. Il se sent plongé en plein cœur d'un brasier sans aucunes flammes, qui se mettrait à tisonner dans chacune de ses fibres. La petite lumière intérieure qui lui était devenue familière se trouve avalée d'un coup, s'élargit sans aucune limite, à tel point qu'il ne sent plus ses ailes, ni les limites de son corps, ni même l'orientation précise de son vol. Tout son être fait pour la nuit est tétanisé par la lumière qui vient de partout, qui est partout. Une panique l'envahit. Le jeune magnifique se met à hurler de terreur.

La voix du vénérable résonne auprès de lui :
— La terreur est le point d'amorce de la haute connaissance. Vole et vis ce que tu voles.
Le magnifique, quelque peu rassuré, s'abandonne alors à cet éclat qui vient de lui, qui entre en lui, qui le traverse et le dissipe dans une éblouissance que lui transmettent les fibres survoltées de son être. Il aimerait ouvrir les yeux,

mais il pressent que ses facettes de noctuidé exploseraient sous tant d'intensité. Il sent aussi que ce n'est pas une lumière pour les yeux. Il se contente d'aller comme on voyage sans but vers ce que la lumière diffuse de plus insoutenable. L'orientation de son vol lui est donnée par l'intensité de la lumière, et plus il s'en approche, plus le désir de s'en rapprocher est à vif. Sans aucune concertation, le vénérable et le jeune magnifique volent côte à côte, ne s'éloignent jamais l'un de l'autre, virent, montent et descendent selon une coordination qui leur est assurée par ce qu'ils devinent ensemble des voies de la lumière.

Parfois, le vénérable l'incite à se poser sur quelque bout de tôle, la pointe d'un relais de téléphone, quelque banderole commerciale, et ils restent immobiles durant de longues heures, soûlés de lumière, possédés de lumière, alourdis de lumière, terrassés de lumière. Puis ils reprennent leur vol dans l'océan de luminosité qui semble n'avoir aucune sorte de limites au point de constituer la matière même de tout ce qui existe.

★

Longtemps plus tard, le vénérable lui dit : *Tu peux ouvrir les yeux*. Le jour était tombé. La nuit était revenue, tissée de cette moelleuse clarté qui donne l'âme de l'obscur. Le jeune magnifique se sent rempli d'une immense plénitude. Ce qu'il perçoit des éclats de la nuit rejoint désormais en lui le souvenir des puissances terrifiantes du soleil. Du coup, les rayonnements de lampadaires lui semblent absurdes, vulgaires et même insignifiants.

— Un papillon de nuit doit donc tenter de vivre le jour ? demande l'admirable à son vieux maître de papillon.

— Un papillon de nuit doit vivre, c'est tout.

— Voler le jour est pourtant une merveille !

— Le jour est aussi absurde et insignifiant que la nuit. L'ombre et la lumière peuvent être parfaitement creuses. Mille connaissances peuvent être aussi vaines qu'un simple tas d'ordures. Et l'érudition n'est souvent que l'enseigne de l'idiot...

— Qu'y a-t-il d'essentiel alors ?

— Tout est essentiel.

— Alors, où se trouve l'important ?

— L'important, c'est ta vie. C'est ce que tu en fais, ce que tu en exiges, la tension avec laquelle tu l'inclines au bon moment vers des moments sublimes.

— L'action juste ?

— L'action juste.

— Comment reconnaître le bon moment pour tenter l'action juste ?

— On ne peut pas le reconnaître. Le bon moment surgit au bout de la haute attention.

— Et c'est quoi, la haute attention ?

— Le grand désir de la beauté. Désir sans sueur ni volonté de besogneux, mais grand désir. Désir terrible !

★

— Papa, je suis un peu désemparé, dit une fois l'admirable papillon. On dirait que vous ne m'enseignez rien, que chaque fois vous dérobez le chemin sous mes pas...

— C'est parce qu'il n'y a pas de route. La route, c'est qu'il nous faut vivre sans route.

— Qu'est-ce que j'aurai appris de vous ?

— Rien, j'espère.

— Qu'est-ce que j'aurais dû apprendre ?

— Quelle horreur ! Je ne suis pas un maître d'école ni un prêcheur de confrérie !

— Je ne suis pas sûr d'avoir tout compris ! Je ne suis pas digne de vous !

— Être digne de moi ? Quelle misère ce serait !

— Pourquoi ?

— Tu ne dois être digne que de toi-même. Vouloir être digne d'un autre, c'est encore croire qu'il y a une route, un chemin, une vérité.

— Je sais qu'il n'y a pas de vérité...

— Il n'y a que des incertitudes. Et des indépassables qu'il nous faut vivre à fond avec amour, avec bonté, avec la joie. Avec aussi quelques petites croyances qui n'ont pas plus d'importance que des ponts de lianes sèches sur l'abîme éternel.

— Vous parlez de joie... Vous m'avez pourtant toujours semblé mélancolique.

— C'est ta croyance. Ton petit pont...

— Vous connaissez la joie ?

— C'est ma meilleure amie.

— Vous êtes plutôt mélancolique.

— Oui, mais je n'ai jamais été triste. La mélancolie connaît la joie, elle ignore simplement les boues vulgaires de la gaieté.

— Et que sait-elle de la tristesse ?

— Elle en conserve la grâce, et l'infinie douceur.

26

— C'est vrai que vous m'avez appris à douter de tout...

— Moi ? Jamais ! Il ne faut pas avoir de certitudes sur les choses de la nuit, ni sur soi-même. Mais douter de soi-même serait un grand malheur.

— Comment cela ?

— La certitude nous coupe de nous-mêmes et des mystères de la nuit. Ne pas avoir de doute nous installe dans tout le possible de nous-mêmes, et dans la nuit la plus riche et la plus inattendue.

— Ne pas avoir de doute n'est pas la certitude ?

— La certitude est une caverne. Un soleil noir. Ne pas avoir de doute est un élan de très grand horizon. Une nuit solaire.

Le somptueux papillon s'abîme une fois encore dans un inconfortable labyrinthe de réflexions.

27

Le vénérable revint vers lui quelque temps après. Ses ailes avaient perdu de leur brillant. Son vol était hésitant comme une lueur de lune quand les nuages sont bas.

— Je suis venu te dire adieu.

— Où allez-vous, cher maître ?

— Vivre dans la mort.

Le jeune le regarde avec tendresse, puis s'envole à quelques mètres au-dessus pour le saluer. Même les papillons les plus inconséquents s'arrêtent de s'abîmer contre les lampadaires pour assister à la gloire de ce vol.

Le jeune fringant est devenu un papillon de majesté.

Ses ailes immenses captent la moindre clarté qui suinte de la nuit, et elles scintillent d'une mosaïque d'écailles dont la structure demeure très fluide. En certains instants, sous la clarté de

lune, il semble constitué de lumières qui provien-
nent de son corps.

Le vénérable assiste à cela avec une totale
attention comme s'il contemplait, dans la danse
de son jeune compagnon, un concentré des mystères de la nuit.

Les autres papillons s'agitent d'admiration. Ils
clament leur fierté d'être contemporains d'un si
beau papillon. Le vénérable, lui, déroule sa trompe
et la ramène dans un très sobre contentement.

⋆

L'admirable revient vers le vieux papillon. Ce
dernier s'est posé sur une antenne parabolique,
les ailes ouvertes de part et d'autre de son corps
frissonnant. La nuit est bruyante, le son des télé-
viseurs et la pétarade de quelques moteurs font
parfois tressaillir la vieille tôle des toitures.

⋆

— Et dans la mort ? demande le magnifique
au vieil agonisant.
— Quoi, dans la mort ?
— Y a-t-il encore des incertains et des indépassables ?

— La mort, c'est la mère de l'incertain et de l'indépassable. Le lieu sans espoir de la connaissance.

— Pourquoi sans espoir ?

— Il n'y a pas d'espoir dans l'ultime des ultimes.

— Est-il possible que le lieu de l'ultime des ultimes connaissances ne soit pas non plus un lieu de paix et de repos ?

— Tout lieu de connaissance, même l'ultime des ultimes, concentre toujours une part égale de lumière et d'ombre, d'apaisements et de tourments.

— Si cela recommence, c'est que ce lieu n'est pas l'ultime des ultimes ! s'indigne le jeune magnifique.

— L'ultime des ultimes ne veut pas dire la fin. L'ultime des ultimes signale simplement que l'on atteint le plus haut degré de vigilance et d'attention. Une lucidité pleine, sans commencement ni fin.

— Une éternité ?

— L'éternité est idiote, immobile et aveugle. En plus, elle ne sait pas chanter.

— Qu'est-ce qui saurait chanter, bouger, aller, et qui serait sans commencement ni fin ?

— Le devenir.

★

Le jeune admirable acquiesce lentement tandis que le vieil agonisant le fixe avec intensité.

— Et toi, lui dit-il alors, où en es-tu de la vie, de ta vie ?

— Je suis vivant, murmure le jeune admirable qui ne sait trop quoi dire.

Le vénérable le regarde, réfléchit, volette autour de lui, et vient se poser tout près en continuant de l'observer avec la plus grande attention.

★

Finalement, le vénérable lui demande :

— Dis-moi ce que tu sais, mon fi... ?

— Je sais seulement que je suis vivant, et que ce n'est que le début d'un début.

— Et que vas-tu faire de ce début de début ?

— Je vais le vivre en son entier, comme je peux. C'est une misère que de se consumer sur ces lumières vulgaires, tout comme c'est une misère que de garder des ailes intactes tout au long de sa vie, tout comme c'est une misère de n'être que jeune, ou de n'être que vieux, et encore plus une misère que de ne pas connaître la mort, et encore plus une misère que de...

— Tu prêches encore ? dit le vénérable en battant des ailes pour l'interrompre.

— Non, j'illumine votre question.

Le vénérable lui dit en souriant :

— Cool, papillon. Vivre est un impossible et il faut vivre au mieux cet impossible à vivre.

Le jeune magnifique est soudain saisi d'une sourde angoisse. Il sent que quelque chose est en train de changer.

— J'ai encore tellement de questions à vous poser...

— Garde-les, pose-les à toi-même, propose-les à tous, sème-les à tous les vents. La question n'enseigne rien et ne prêche rien : elle appelle. C'est l'énergie du devenir.

*

Puis le vénérable s'envole au-dessus du magnifique pour une lente virevolte d'hommage. Quand il se pose à nouveau, il est vibrant d'une énergie étrange qui semble réveiller ses écailles et amplifier ses ailes. Il regarde alors l'admirable et lui dit en souriant :

— Merci de m'avoir illuminé de tes questions, sans toi, je ne savais pas ce que je faisais vraiment, ni où j'allais vraiment. Tes questions m'ont offert de l'inquiétude, de la mobilité... Grâce à toi, j'ai bougé, je me suis déplacé, j'ai cherché, j'ai trouvé du mouvement même là où

il n'y avait ni chemin ni possible... Tu as été
mon maître...

★

Et il s'immobilise auprès du magnifique qui le
voit devenir grisâtre, et se transformer soudain
en la plus éclatante des lumières naturelles.

28

Quelque temps plus tard, un autre jeune papillon s'éloigne de ses congénères après s'être heurté contre un des lampadaires. Attiré par l'immobilité majestueuse de notre ancien fringant, il vole clopin-clopant vers lui. D'emblée, il le félicite pour la beauté de ses ailes et le fait qu'il les ait conservées intactes durant tant de saisons.

Puis il se lamente :

— Je suis si malheureux de mes ailes abîmées ! J'ai vu la lumière mais je ne l'ai pas vraiment connue, et je le regrette infiniment.

— Oui, lui dit le magnifique en soupirant, mais tu l'as vue. *Tu l'as vue !...*

— Et ça suffit ?

— C'est déjà ça.

— Comment vais-je pouvoir vivre avec ces ailes malades ?

— Comment est la seule question que l'on

doive se poser à soi-même ! C'est la seule que personne ne peut illuminer à ta place.

★

Le jeune acquiesce et rabat tristement ses pauvres ailes de part et d'autre de son torse maigrichon.

— Je pense, dit-il, que je ne vais pas vivre avec ces ailes abîmées. Je vais m'élancer tout à l'heure et disparaître dans une de ces lumières. Mais, même si je l'ai décidé, cette seule idée me terrifie.

— C'est cela, le merveilleux de vivre, lui dit le magnifique : tous les degrés de la joie dans tous les degrés de la peur. C'est cela, le merveilleux de vivre.

★

— Tu me conseilles alors de me jeter dans la lumière ? interroge l'affligé.

— Je ne peux rien décider de ta vie, ni de ton courage, ni de ta clairvoyance, mais j'ai rencontré il y a longtemps un vieux papillon...

— Un sage, un devin, un prophète, un messie ?

— Non, un simple petit papillon de nuit...

— Il s'est jeté dans la lumière ?

— Non, il a essayé de vivre du mieux possible, en faisant ses choix, en construisant sa liberté. Et, tout seul, il a réussi à faire de sa vie une beauté. C'est cette beauté qu'il m'a offerte, comme il l'a offerte à tous.

— Personne ne m'a jamais parlé de lui !

— Je crois être un des rares à l'avoir remarqué.

— Un être aussi extraordinaire peut demeurer invisible aux yeux de tout le monde ?

— Ce sont surtout ceux-là qui demeurent invisibles.

*

— En quoi sa vie était-elle une beauté ?

— Il n'a jamais volé vers ces lumières brûlantes qui nous fascinent et qui nous tuent. Il n'avait pas besoin de lumières ordinaires, ni de ces orgueilleuses démonstrations que manient les lucioles.

— Qu'a-t-il fait alors ?

— Il s'est juste efforcé de devenir une lumière. Un être tout de lumière capable de trouver et de vivre l'inconcevable lumière que constitue la nuit.

— C'est incompréhensible.

— Exact. Mais c'est le tout premier signe de la beauté.

Diamond Rock, juillet 2010.
Favorite, juillet 2011.

DU MÊME AUTEUR

Aux Éditions Gallimard

CHRONIQUE DES SEPT MISÈRES, *roman*, 1986. Prix Kléber-Haedens, prix de l'île Maurice.

CHRONIQUE DES SEPT MISÈRES *suivi de* PAROLES DE DJOBEURS, préface d'Édouard Glissant, *roman*, 1988 (Folio n° 1965).

SOLIBO MAGNIFIQUE, *roman*, 1988 (Folio n° 2277).

ÉLOGE DE LA CRÉOLITÉ, avec Jean Bernabé et Raphaël Confiant, *essai*, 1989.

ÉLOGE DE LA CRÉOLITÉ/*IN PRAISE OF CREOLENESS*, édition bilingue, *essai*, 1993.

TEXACO, *roman*, 1992. Prix Goncourt (Folio n° 2634).

ANTAN D'ENFANCE, 1993 (1re parution Hatier, 1990). Grand prix Carbet de la Caraïbe (Folio n° 2844 : *Une enfance créole*, I, préface inédite de l'auteur).

ÉCRIRE LA PAROLE DE NUIT. LA NOUVELLE LITTÉRATURE ANTILLAISE, *ouvrage collectif*, 1994 (Folio Essais n° 239).

CHEMIN-D'ÉCOLE, *mémoires*, 1994 (Folio n° 2843 : *Une enfance créole*, II).

L'ESCLAVE VIEIL HOMME ET LE MOLOSSE, avec un entre-dire d'Édouard Glissant, *roman*, 1997 (Folio n° 3184).

ÉCRIRE EN PAYS DOMINÉ, *essai*, 1997 (Folio n° 3677).

ELMIRE DES SEPT BONHEURS. Confidence d'un vieux travailleur de la distillerie Saint-Étienne, photographies de Jean-Luc de Laguarigue, *essai*, 1998.

ÉMERVEILLES, illustrations de Maure, *nouvelles*, 1998 (coll. Giboulées).

BIBLIQUE DES DERNIERS GESTES, *roman*, 2002 (Folio n° 3942).

À BOUT D'ENFANCE, coll. Haute Enfance, *mémoires*, 2004 (Folio n° 4430 : *Une enfance créole*, III).

UN DIMANCHE AU CACHOT, *roman*, 2007 (Folio n° 4899). Prix RFO 2008.

LES NEUF CONSCIENCES DU MALFINI, *roman*, 2009 (Folio n° 5160).

LE DÉSHUMAIN GRANDIOSE, coffret comprenant *L'esclave vieil homme et le molosse* (Folio n° 3184), *Un dimanche au cachot* (Folio n° 4899) et une postface *De la mémoire obscure à la mémoire consciente*, 2010.

CHEMIN-D'ÉCOLE, 2012.

L'EMPREINTE À CRUSOÉ, 2012.

Chez d'autres éditeurs

MANMAN DIO CONTRE LA FÉE CARABOSSE, *théâtre conté*, Éditions Caribéennes, 1981.

AU TEMPS DE L'ANTAN, *contes créoles*, Hatier, 1988. Grand Prix de la littérature de jeunesse.

MARTINIQUE, *essai*, Éd. Hoa-Qui, 1989.

LETTRES CRÉOLES, tracées antillaises et continentales de la littérature, Martinique, Guadeloupe, Guyane, Haïti, 1635-1975, en collaboration avec Raphaël Confiant, *essai*, Hatier, 1991 (Folio essais n° 352, nouvelle édition).

GUYANE, TRACES-MÉMOIRES DU BAGNE, *essai*, C.N.M.H.S., 1994.

LES BOIS SACRÉS D'HÉLÉNON, en collaboration avec Dominique Berthet, *Dapper*, 2002.

QUAND LES MURS TOMBENT. L'identité nationale hors-la-loi ?, en collaboration avec Édouard Glissant, *essai, Galaade*, 2007.

TRÉSORS CACHÉS ET PATRIMOINE NATUREL DE LA MARTINIQUE VUE DU CIEL, avec des photographies d'Anne Chopin, *HC*, 2007.

LES TREMBLEMENTS DU MONDE, *À Plus d'un Titre Éditions*, 2009.

L'INTRAITABLE BEAUTÉ DU MONDE : ADRESSE À BARACK OBAMA, en collaboration avec Édouard Glissant, *Galaade Éditions*, 2009.

LE PAPILLON ET LA LUMIÈRE, *Philippe Rey*, 2011 (Folio n° 5597).

HYPÉRION VICTIMAIRE, *la Branche*, 2012.

COLLECTION FOLIO

Dernières parutions

Composition Nord Compo
Impression Novoprint
à Barcelone, le 22 mai 2013
Dépôt légal : mai 2013
ISBN 978-2-07-045003-9./Imprimé en Espagne.